美味食物进嘴巴，牙齿把它咬成粒。
颗粒来到肚子中，精灵把它变成泥。
火车厢被装满了，一路飞驰不休息。
肚子里的火车站，每天都在陪伴你！

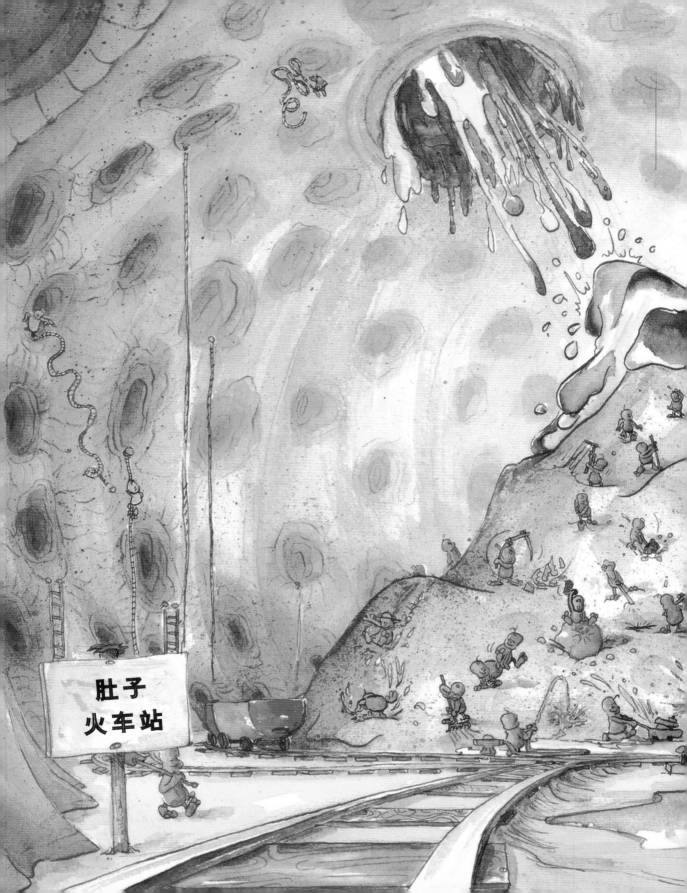

肚子里有个火车站

［德］鲁斯曼·安娜 著/绘　　［德］舒尔茨·史蒂芬 绘

张 振译

北京科学技术出版社

NEUES AUS DEM BAHNHOF BAUCH
by Russelmann Anna illustrated by Russelmann Anna/Schulz Stefan
©1995 NordSued Verlag AG Zurich / Switzerland
Simplifed Chinese translation copyright © 2011 by Beijing Science and Technology Press

著作权登记号　图字：01-2008-4727号

图书在版编目（CIP）数据

肚子里有个火车站 / (德) 安娜著; (德) 安娜, (德)史蒂芬绘; 张振译. 2版—北京：
北京科学技术出版社, 2011.6（2016.1重印）
（德国精选科学图画书）
ISBN 978-7-5304-5134-2

Ⅰ.①肚… Ⅱ.①安… ②安… ③史… ④张… Ⅲ.①图画故事－德国－现代 Ⅳ.①I516.85

中国版本图书馆CIP数据核字(2011)第058794号

肚子里有个火车站

作　　者：	[德]鲁斯曼·安娜	电话传真：	0086-10-66161951（总编室）
绘　　者：	[德]鲁斯曼·安娜		0086-10-66113227（发行部）
	[德]舒尔茨·史蒂芬		0086-10-66161952（发行部传真）
译　　者：	张　振	电子信箱：	bjkj@bjkjpress.com
策　　划：	白　林	网　址：	www.bkjpress.com
责任编辑：	邵　勇	经　销：	新华书店
责任印制：	张　良	印　刷：	北京捷迅佳彩印刷有限公司
图文制作：	中盛博宇	开　本：	787mm×1030mm　1/16
出 版 人：	曾庆宇	印　张：	3
出版发行：	北京科学技术出版社	版　次：	2011年6月第2版
社　　址：	北京西直门南大街16号	印　次：	2016年1月第23次印刷
邮政编码：	100035	ISBN 978-7-5304-5134-2/I·095	

定价：24.80元

这个小姑娘叫朱莉娅。

她刚刚从幼儿园出来，走在回家的路上。突然，朱莉娅听到了一阵"咕噜噜"的声音。

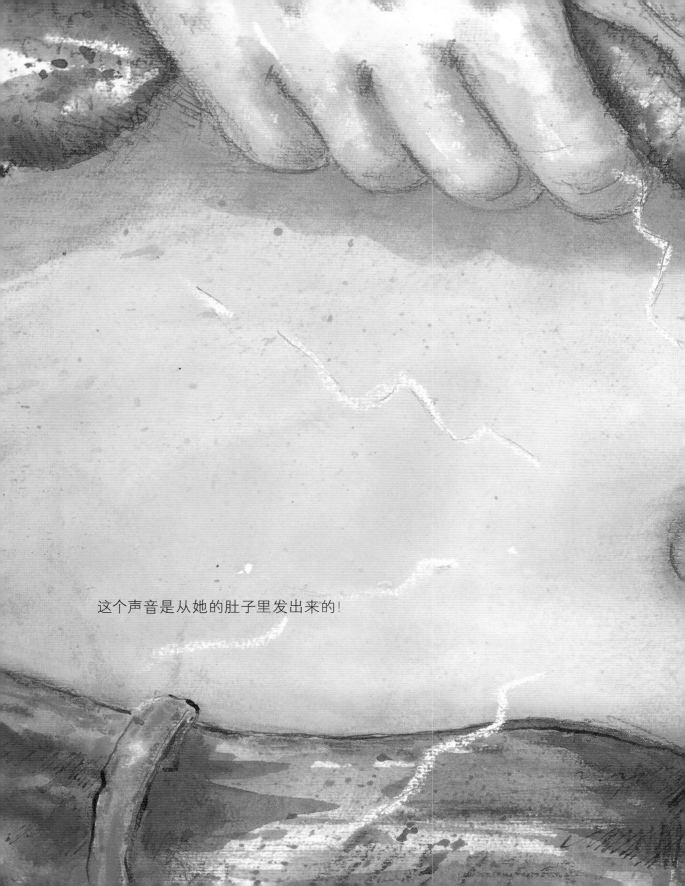

这个声音是从她的肚子里发出来的!

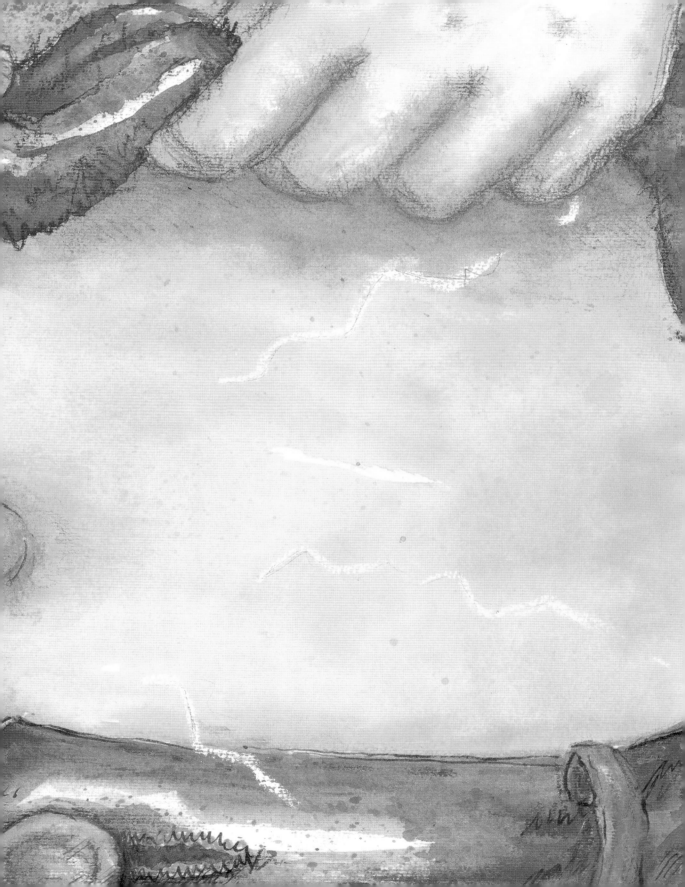

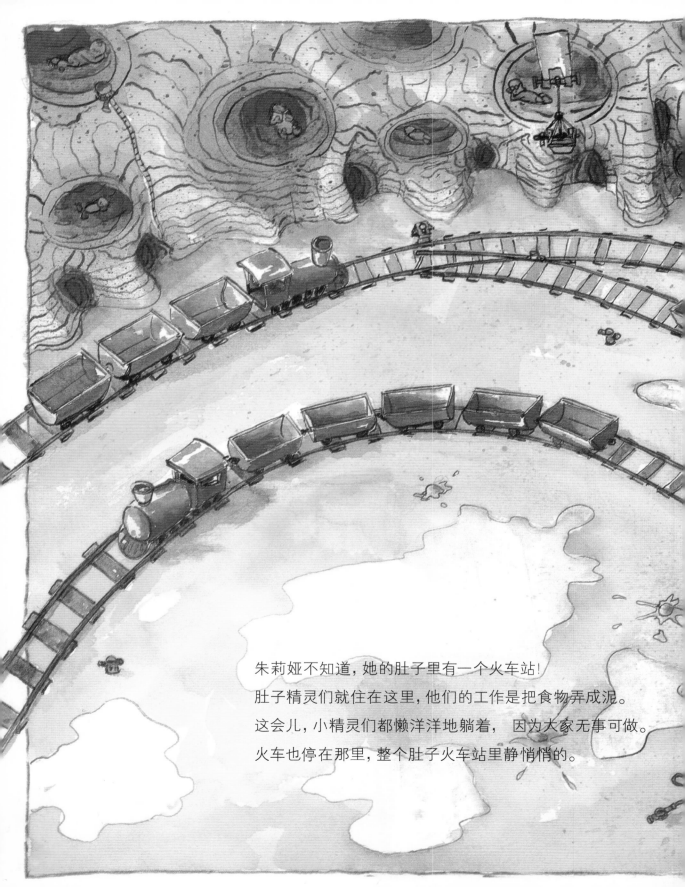

朱莉娅不知道，她的肚子里有一个火车站！
肚子精灵们就住在这里，他们的工作是把食物弄成泥。
这会儿，小精灵们都懒洋洋地躺着， 因为大家无事可做。
火车也停在那里，整个肚子火车站里静悄悄的。

　　突然，那奇怪的声音又响了起来。原来是一个小精灵睡着了。

　　他在梦中偶尔打起响亮的呼噜，这就是朱莉娅听到的"咕噜噜"的声音。

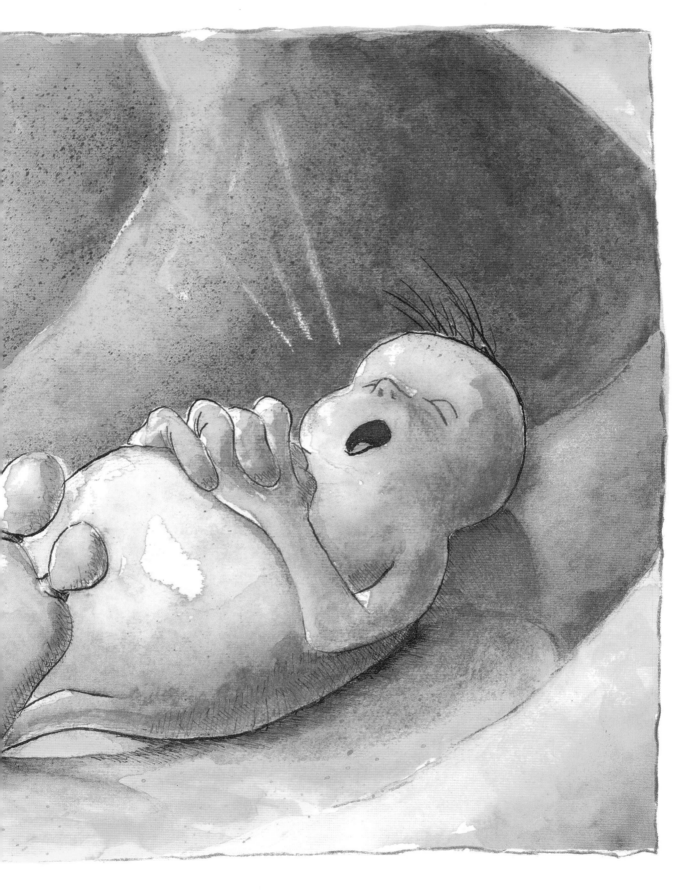

朱莉娅终于到家了，一顿美味的午餐正摆在桌子上。
她开始狼吞虎咽地吃起来。

很快，一大团面条通过食道掉进了肚子火车站里。

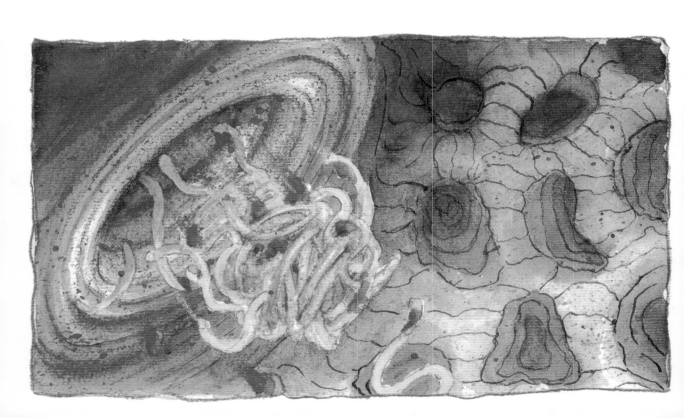

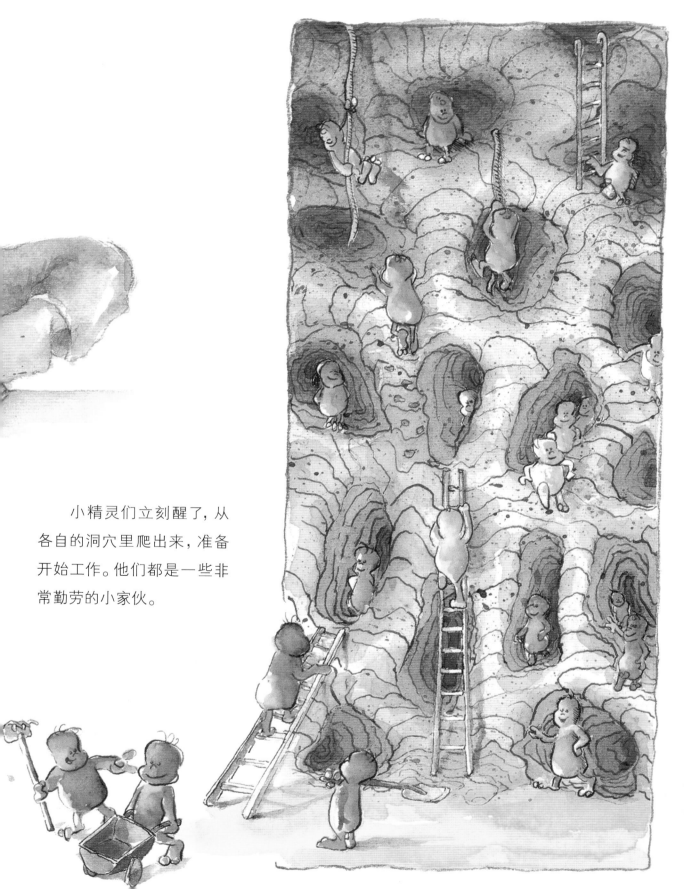

小精灵们立刻醒了，从各自的洞穴里爬出来，准备开始工作。他们都是一些非常勤劳的小家伙。

可是这次的情况让他们吓了一跳！

又粗又长的面条落下来，把他们缠住了；整片的生菜叶飘下来，像床单一样把他们裹住了；大肉块沉甸甸的，像石头一样四处乱滚……火车站里乱作一团，小精灵都生气地大叫起来。

"这个朱莉娅，根本就没有好好嚼嘛！"

"总是什么都靠我们！"

"这些食物太大了，我们怎么办啊？"

尽管生气，小精灵们还是开始工作了。不然还能怎么办？

火车必须准时出发，但是要把这么一大堆食物弄碎，要花很多很多时间和力气，因此工作进展得很慢。

食物越来越多，堆得像小山一样高。

这时，出事了！

一大块东西不偏不倚地砸到了一个小精灵的脑袋上，他立刻晕了过去。

在幻觉中，他成了一名导游，带着游客在肚子火车站里参观。小精灵告诉游客们："如果所有食物都被嚼得很碎，那落下的就会是小段面条、小片菜叶、小块苹果和小肉丁，即使它们掉在哪个小精灵的头上，也不会把他弄疼。"

"我们会很快地把食物装进火车车厢，还会在里面加入很多液体，这些液体对消化非常重要。最后，我们会把液体和食物搅在一起，让它们变成泥。这个过程对我们来说特别有趣！"

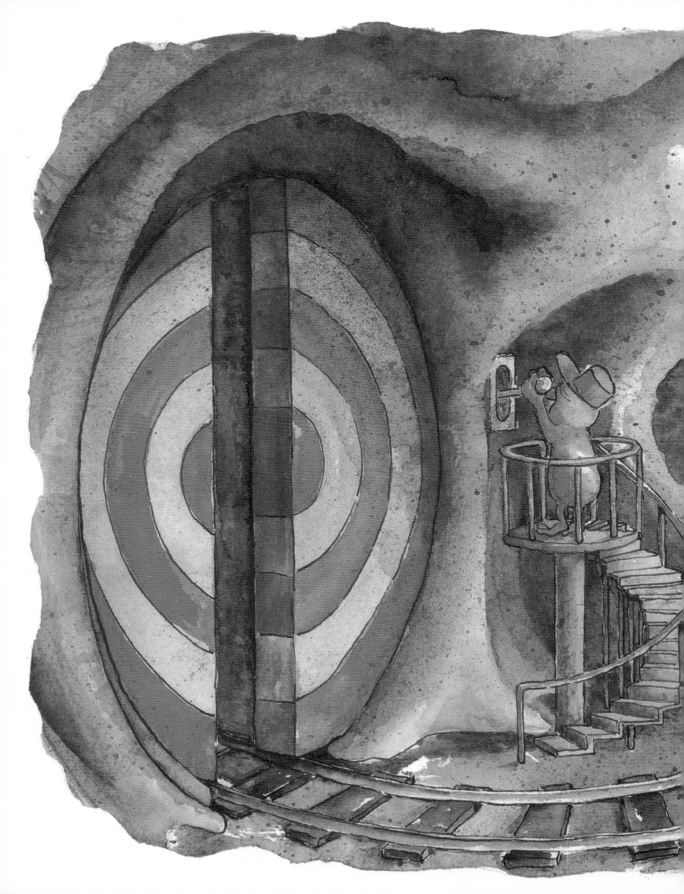

"一切都准备好，火车就可以出发了！小精灵司机会跳到火车头上，激动地等着门卫打开大门。这扇大门是通往小肠的入口。"

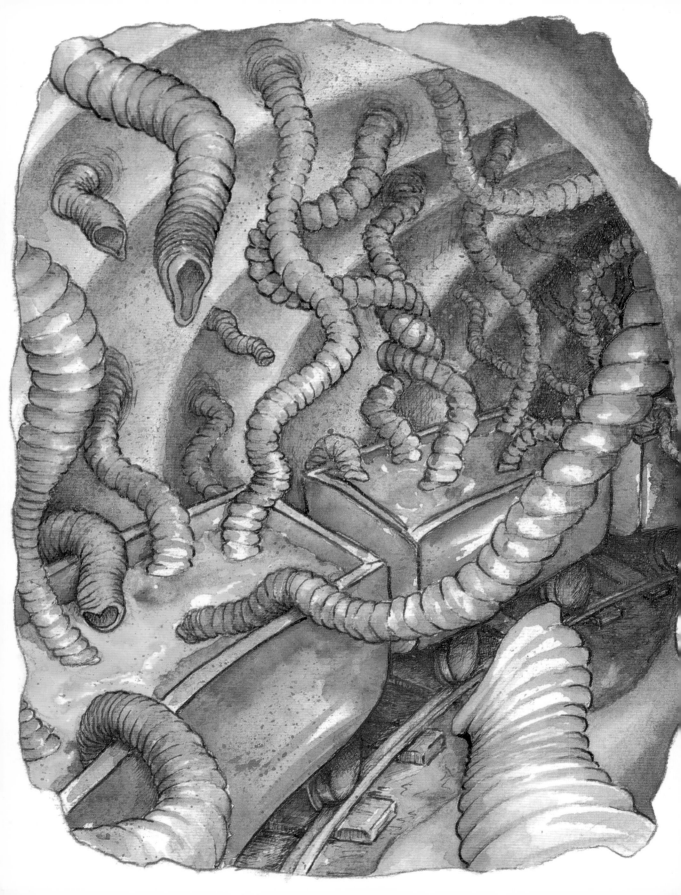

"小肠是一条很长、很窄，而且非常昏暗的隧道，里面的弯道还特别多。

隧道的四壁上有不少管子，它们会伸进车厢，从里面装的泥中吸取营养，然后再把营养输送到血液里。

然后火车会载着车厢里剩下的没用的东西继续往前开，穿过大肠隧道，最后到达终点。司机会把车厢中的东西从一个小门倒出去，这些东西大都会掉在一个白色的容器里。人们管这个容器叫'马桶'！"

"嘿，你怎么了？"

一个声音把昏迷中的小精灵唤醒了。几个同伴正忧心忡忡地看着他。

食物暴风雨这时已经停止了，一座巨大的食物山正堆在轨道旁边。

车站里空荡荡的，只剩下最后一列火车了，其他火车都装满泥出发了。

没有了那么多火车，这座食物大山怎么被运走呢？

小精灵们正在犯愁时，突然刮来一阵刺骨的寒风。
接着，一堆雪泥状的东西从食管里呼呼地喷涌出来，它们
是香草冰淇淋和巧克力奶昔！

"太过分了！我们受够了！"小精灵们在冰天雪地中大声抗议道。

火车站里的温度越来越低，最后一列火车被冻在轨道上了。

小精灵们开始举行抗议活动。他们大声喊着口号，气呼呼地砸墙，使劲跺脚。

这下朱莉娅可惨了，她的肚子开始疼起来！

朱莉娅生病了，因为她吃得太多、太快了。

终于，在小精灵们快被冻僵的时候，冰雪开始融化了。

一阵温暖的雨从天而降。

原来，朱莉娅正躺在床上喝热水，她的肚子上还放了一个热水袋。

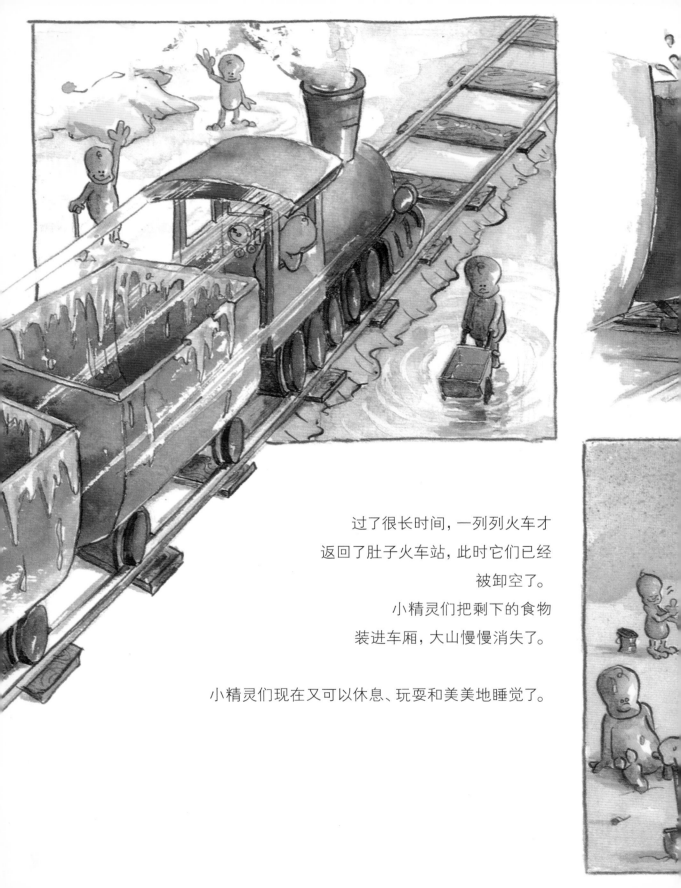

过了很长时间，一列列火车才
返回了肚子火车站，此时它们已经
被卸空了。
小精灵们把剩下的食物
装进车厢，大山慢慢消失了。

小精灵们现在又可以休息、玩耍和美美地睡觉了。

朱莉娅感觉好多了，她的肚子不疼了，高兴地翻了许多跟头。

肚子火车站
里的小精灵们觉
得好像坐上了过
山车……

他们已经分不清哪里是上，哪里是下了。